Warsaw Ghetto

Getto Warszawskie

Warsaw Ghetto
Getto Warszawskie

Anka Grupińska
Jan Jagielski
Paweł Szapiro

Wydawnictwo PARMA® PRESS

Warsaw Jews 1939-1945

In Poland, the standard image of the Holocaust is based on a few facts most often linked to the Warsaw Ghetto. It is usually understood that the capital's Jews were isolated in a walled-off district (not to be visited by others on pain of death); that they had to wear armbands with the Star of David (at which point the more astute may wish to know why – since everyone behind the wall was Jewish anyway), and that they died of hunger there. It is also known that many Poles offered help (again at risk of being shot), while a very few joined the persecutions the Nazis organized (again risking summary execution, but this time by the Underground). It is known that people from the Ghetto were gassed at Treblinka (though a common misapprehension substitutes Auschwitz). A further known act of the Jews during the Occupation was their Uprising in the ghetto – though on a date that few are able to recall. Limited knowledge, then, but sufficient to ensure that the Warsaw Ghetto – really just the largest of 412 closed districts within the Third Reich "galaxy" (and one of about 400 in Poland) – has come for many to symbolise the Holocaust. So let us look at the fate of Warsaw's Jews in the wider context – throughout the Occupation – if only to realise that a "Warsaw-centred approach" is not the ideal way of understanding this archipelago of closed districts (though also not entirely inappropriate). A perhaps

Żydzi warszawscy 1939-1945

Obiegowe wyobrażenie Holokaustu zbudowane jest w Polsce na znajomości kilku faktów związanych najczęściej z gettem warszawskim. Zwykle wie się, że Żydów ze stolicy odizolowano w części miasta otoczonej ścianą z cegieł (poza którą nie wolno im było wyjść pod karą śmierci), że musieli nosić opaski z gwiazdą Dawida (dociekliwsi pytają właściwie po co, skoro za murem byli tylko Żydzi?) i że umierali tam z głodu. Wiadomo też, że bardzo wielu Polaków udzielało im pomocy (za co groziło rozstrzelanie), że bardzo nieliczni Polacy wzięli udział w zorganizowanych przez Niemców prześladowaniach (za co spotykać ich miała kara z rąk podziemia). Znany jest fakt, że mieszkańców dzielnicy zamkniętej zamordowano w komorach gazowych Treblinki (wielu jednak myśli, że zgładzono ich w Oświęcimiu). Innym okupacyjne dzieje Żydów kojarzą się z powstaniem w getcie warszawskim (datę wydarzenia rzadko jednak pamiętają). W sumie wiedza to niewielka, ale widocznie wystarczająca, by getto warszawskie, największe obszarem i liczbą ludności z 412 dzielnic zamkniętych w galaktyce III Rzeszy, jedno z około 400 utworzonych na ziemiach polskich, mogło pełnić rolę niezwykle ważnego symbolu Holokaustu. Warto więc przyjrzeć się losom Żydów warszawskich podczas całej okupacji. Choćby po to, by uświadomić sobie, że „warszawocentryczne" podejście nie jest całkowicie

surprising initial lack of a unified Nazi policy meant that the fates of Polish Jews could vary. In the beginning, at least, several orders did impact on all: one, issued in Berlin, required that Jews be concentrated in cities, in each of which a Judenrat (Jewish Council) would be set up; while another from the Governor General provided that armbands be worn and that obligatory work be done. No overall directive establishing ghettoes was forthcoming, however. Instead, their creation was the work of different authorities at local level. The first ghetto was put in place in autumn 1939 in Piotrków Trybunalski, the last in autumn 1942 in Sosnowiec and Andrychów. From the outset there appeared – in relation to what different occupation authorities had in mind – two distinct ways of proceeding. The SS and Gestapo sought to annihilate ghetto inhabitants via hunger and disease, while the civilian apparatus favoured economic exploitation via slave labour. Consequently, some ghettoes were sealed more firmly than others. The one in Łódź was cut off from the outside world, having to make do without even telephones or a postal service – while, at the other end of the persecution spectrum, the Piotrków "pioneer" had nothing more than a symbolically demarcated boundary. When unified procedures to be applied to all Jews were finally arrived at, these were implemented gradually. Inhabitants of the first concentrations to be liquidated (from small towns of the Wielkopolska region) were murdered en masse at Chełmno nad Nerem, in one of six Poland-based extermination centres, as early as December 1941. In contrast, the Jews from

słuszne jako klucz do poznania archipelagu dzielnic zamkniętych, ale też i nie całkowicie niesłuszne. Koleje okupacyjnego żywota każdego polskiego Żyda – w konsekwencji braku jednolitej polityki antyżydowskiej – mogły być różne. Początkowo wspólnych dla wszystkich było kilka nakazów: obowiązek koncentracji Żydów w miastach i utworzenia Rad Żydowskich (Judenratów) – wydane przez władze bezpieczeństwa w Berlinie, oraz nakaz noszenia opasek i obowiązek pracy – wprowadzone przez Generalnego Gubernatora. Nie było natomiast żadnej ogólnej dyrektywy zakładania gett.
Ich tworzenie każdorazowo było inicjatywą władz lokalnych. Pierwsze getto zorganizowano na jesieni 1939 roku w Piotrkowie Trybunalskim, ostatnie – jesienią 1942 roku w Sosnowcu i Andrychowie.
Od razu pojawiły się dość wyraźnie – w zależności od koncepcji i wpływów rozmaitych lokalnych władz okupacyjnych – dwa sposoby postępowania:
SS i Gestapo dążyło do wyniszczenia zgromadzonych w gettach poprzez głód i choroby, a aparat cywilny chciał prowadzić politykę eksploatacji gospodarczej poprzez pracę niewolniczą. Niektóre getta były zamknięte szczelniej niż inne. Łódzkie na przykład pozbawione zostało jakiegokolwiek kontaktu ze światem zewnętrznym i obywać się miało nawet bez komunikacji telefonicznej i pocztowej.
Na przeciwległym krańcu skali prześladowań znajdowały się getta otwarte, bez muru czy ogrodzenia, z granicami zaznaczonymi jedynie symbolicznie. Takim było getto w Piotrkowie Trybunalskim. Kiedy ustalono już jednolite zasady

the Łódź Ghetto were just about the last to die, being exterminated in the Auschwitz II (Birkenau) camp. Thus, in spite of any differences along the way, it was the shared fate of virtually all to suffer death, either directly at the hands of the Nazis, or at least with them as organizers or inspirers. The war was not survived by the vast majority – 90% of the more than 3 million Polish Jews, two-thirds of the eleven million in Europe as a whole, and one-third of the entire Jewish people perished. After December 1941, when Hitler ordered extermination without exception and in particular following the January 1942 Wannsee Conference at which a Europe-wide plan was adopted, it was the Nazis' declared intention that not a single Jew should survive. In other words, each Jewish child born in the second half of 1944 within the sphere of influence of Nazi Germany had received his or her death sentence more than two and a half years before coming into the world. (It is for this reason, too, that over 90% of the child victims of the war in Poland were Jewish children.) The first attempt to found a ghetto in Warsaw came as early as November 4, 1939. After several days, the order was countermanded, perhaps because the Gestapo and Wehrmacht could not come to an agreement. Nevertheless, attempts at the gradual implementation of an isolation plan were by no means at an end. Initially, Jews were to be resettled to the Praga district east of the Vistula. Then it was planned to transfer them to the outlying districts of Koło and Grochów. Finally, since any peripheral establishment of ghettoes was deemed too "problematical", the idea re-emerged to close

postępowania ze wszystkimi bez wyjątku Żydami – realizowano je stopniowo. Mieszkańców pierwszych likwidowanych skupisk żydowskich z miasteczek wielkopolskich poczęto masowo mordować w jednym z sześciu zlokalizowanych w Polsce ośrodków zagłady, w Chełmnie nad Nerem, „już" w grudniu 1941 roku. Jako prawie ostatni zginęli Żydzi z getta łódzkiego, zgładzeni w Auschwitz II Birkenau. Wspólna więc miała być dla wszystkich śmierć, zadana przez Niemców lub przynajmniej przez nich zorganizowana czy zainspirowana. Większość – 90% z ponad trzymilionowej populacji polskich Żydów, 2/3 z jedenastu milionów Żydów europejskich, 1/3 całego narodu żydowskiego – rzeczywiście wojny nie przeżyła. Od grudnia 1941 roku, kiedy Hitler wydał rozkaz zagłady bezwyjątkowej, od konferencji w Wannsee w styczniu 1942 roku, kiedy przyjęto jej ogólnoeuropejski plan, żaden Żyd nie miał ocaleć. Innymi słowy: każde dziecko żydowskie urodzone w drugiej połowie 1944 roku w sferze wpływów niemieckich otrzymało wyrok śmierci dwa i pół roku przed swoim przyjściem na świat. (Dlatego też ponad 90% dziecięcych ofiar wojny w Polsce to dzieci żydowskie.) Pierwsza próba stworzenia getta w stolicy podjęta została „już" 4 listopada 1939 roku. Po kilku dniach rozkaz został odroczony, prawdopodobnie wskutek rozbieżności pomiędzy Gestapo a Wehrmachtem. Nie zaniechano jednak prób izolowania Żydów. Pierwotnie jako teren osiedlenia wybrano leżącą na prawym brzegu Wisły, Pragę. Później planowano przemieszczenie Żydów na obrzeżne dzielnice miasta: Koło i Grochów.

off the existing Jewish neighbourhood. So, in March 1940, this was declared an "Epidemic Quarantine District" (Seuchensperrgebiet), with information signs posted discouraging entry. On March 27, 1940, the Judenrat received an order to construct a wall around a Jewish Quarter comprising 4% of Warsaw's total area, while Chairman Czerniaków was given a map of the proposed closed district on May 10, 1940. By early June, the first boundary lines of the Warsaw ghetto had been marked off and some twenty sections of wall put in place. Completion of the wall only came as the whole area was being closed off, while in September Varsovians were officially informed that their city had been divided into German, Polish and Jewish districts. The Judenrat was ordered on October 12, 1940 to create the ghetto. Polish inhabitants of Warsaw were not well-disposed towards this decision, not necessarily out of solidarity, but rather because of the sheer inconvenience of the attendant mass movements of people. In fact, both the Judenrat and Polish City Council tried intervening with the Nazi authorities to obtain more favourable demarcations. The deadline for resettlement was November 14, 1940 and, two days later, the ghetto was sealed. In this way, an area of approximately 400 hectares (2.4% of Warsaw) came to have squeezed within it several hundred thousand Jews. The wall – 3 metres high and 18 km long – enclosed 73 of the capital's 1,800 streets, around 27,000 dwellings, a cemetery and a sports ground. No park or garden was included. The area concerned changed constantly, as the October 1941 demarcation was followed by a division into Small and

Ostatecznie, ponieważ założenie gett peryferyjnych uznano za zbyt kłopotliwe, powrócono do koncepcji zamknięcia istniejącej dzielnicy żydowskiej. W marcu 1940 roku rejon tradycyjnie zamieszkiwany przez Żydów nazwano „Rejonem dotkniętym epidemią" (Seuchensperrgebiet). Wzdłuż linii granicznej ustawiono tablice informacyjne z napisem ostrzegającym przed wejściem. W dniu 27 marca 1940 roku Judenrat otrzymał polecenie postawienia muru wokół dzielnicy żydowskiej, stanowiącej 4% powierzchni miasta, a 10 maja 1940 roku Adam Czerniaków dostał plan dzielnicy zamkniętej.
W początku czerwca wytyczono pierwsze granice getta warszawskiego i postawiono dwadzieścia fragmentów muru. Dokończenie budowy muru dokonało się dopiero w trakcie jego zamykania.
W sierpniu 1940 roku Niemcy poinformowali warszawiaków oficjalnie, że miasto zostanie podzielone na trzy dzielnice: niemiecką, polską i żydowską; 12 października 1940 roku przekazali Judenratowi rozkaz o założeniu getta. Polscy mieszkańcy miasta ustosunkowali się negatywnie do tej decyzji – niekoniecznie kierowani solidarnością, raczej niechęcią do masowych przesiedleń, które i ich miały dotknąć. Obie strony, Judenrat i polski Zarząd Miejski, zabiegały drogą wzajemnych negocjacji i interwencji u władz okupacyjnych o korzystniejszą dla siebie delimitację. Ostatecznym dniem osiedlenia był 14 listopada 1940 roku. Dwa dni później getto zamknięto. Na terenie prawie 400 ha (2,4% powierzchni miasta) stłoczono kilkaset tysięcy Żydów. W obrębie muru o wysokości 3 m

Large Ghettoes, linked by a bridge over "Aryan" Chłodna Street. The initial density was 128,000 people per sq. km (later 146,000) or, in other words on average, eight people per room. Officially, this was always the "Jewish Residential District" or Jüdischer Wohnbezirk. Use of the term "ghetto" was prohibited – perhaps because various representative offices of other countries were present in Warsaw. The wall was guarded by German and Polish police on the outside and by Jewish police on the inside. Nazi economic policy in the Ghetto involved the confiscation of factories, trading companies and property, and the separation of Jews from Poles. It thus set the stage for the exploitation of a free labour force. Deprived of their workplaces, the vast majority of Jews had no regular source of income. Not surprisingly, then, the most serious problem in the Ghetto was the lack of food. The only solution was the smuggling engaged in either by individuals on behalf of themselves and their loved ones or by organized groups. It was via the latter route that some 80% of all food made its way into the Ghetto, but smuggling and the efforts of self-help organisations could not meet needs, so hunger and even starvation were widespread. The Nazis were not overly concerned with overseeing political activity, so parties, alliances and organisations existing previously remained active within the enclosed environment, with an underground press issuing 50 titles. A civil resistance movement also evolved steadily, maintaining schooling, scientific research and cultural activity. As news of the mass murders of Jews in the East filtered in Spring 1942, these

i długości 18 km znalazły się 73 z 1,8 tysiąca ulic warszawskich, około 27 tysięcy mieszkań, cmentarz i boisko sportowe. W dzielnicy zamkniętej nie było żadnego parku ani ogrodu. Obszar ulegał stałym zmianom. Po delimitacji w październiku 1941 roku powstały dwa, tak zwane duże i małe getta, połączone mostem przerzuconym nad „aryjską" ulicą Chłodną. Początkowo gęstość zaludnienia wynosiła 128, a później 146 tysięcy osób na km^2, co oznaczało, że jedna izba zajmowana była średnio przez ośmioro ludzi. W oficjalnej nomenklaturze teren ten nazywano zawsze żydowską dzielnicą mieszkaniową (Jüdischer Wohnbezirk); używanie nazwy „getto" – prawdopodobnie ze względu na istnienie w Warszawie rozmaitych przedstawicielstw obcych państw – było zakazane. Muru strzegła policja niemiecka i polska od zewnątrz, a policja żydowska – od wewnątrz. Niemiecka polityka gospodarcza wobec mieszkańców getta (po wcześniejszych posunięciach: konfiskacie fabryk, przedsiębiorstw handlowych, mienia nieruchomego oraz odseparowaniu Żydów od ludności polskiej) sprowadzała się do eksploatacji darmowej siły roboczej. Przeważająca większość Żydów, pozbawiona swoich warsztatów pracy, pozostawała bez stałych źródeł utrzymania. Zrozumiałe więc, że najpoważniejszym problemem w getcie był brak żywności. Jedynym rozwiązaniem był szmugiel dokonywany bądź przez pojedyncze osoby zaopatrujące siebie i bliskich, bądź przez zorganizowane grupy przemytnicze; tą drogą docierało do getta 80% żywności. Szmugiel i działania organizacji samopomocowych nie zaspakajały

movements began alerting the international community and seeking contacts with the Polish Underground. On July 22, 1942, the mass deportation known as the Great Action began, the ultimate result of which was the transfer to Treblinka of roughly 265,000 Jews. A much-reduced closed district was then carved into self-sufficient sectors: forced-labour complexes known as szopy, walled or wired off and outfitted with their own bakeries, pharmacies and grocery shops. The number of exit points was reduced and postal services banned, though telephones continued to operate. Underground forms of trade and the rendering of services thus flourished, while self-help groups were active. An armed resistance movement with political backing also arose, and plans for defence were developed. Fragmented organisations were re-established, bunkers built, and contacts with the Polish Underground put in place, so that the arming and training of fighters might proceed more efficiently. It was between January 18 and 22, 1943, that a fresh attempt at "resettlement" first provoked Jews into armed defence – during the so-called January Action. The ŻOB (Jewish Fighting Organisation) and ŻZW (Jewish Military Union) prepared to come to the aid of Ghetto inhabitants, with young people gaining weapons training and extracting contributions from the wealthiest residents, German warehouses being torched, prisoners freed and agents and traitors punished. An attempt at the final liquidation of the Ghetto on April 19, 1943 was resisted by Jewish fighters and civilians whose organised or spontaneous resistance came to be known after

potrzeb dzielnicy zamkniętej. Głód był w getcie zjawiskiem powszechnym. Niemcy w zasadzie nie nadzorowali działalności politycznej. W getcie działały dotychczasowe partie, stronnictwa i organizacje, wydawano około 50 tytułów prasy konspiracyjnej. Rozwijał się także ewoluujący ruch oporu cywilnego, który obejmował szkolnictwo, naukę i działalność kulturalną. Informacje o masowych mordach Żydów na Wschodzie napływające do getta wiosną 1942 roku skłoniły organizacje podziemne do rozpoczęcia akcji alarmowania świata i szukania kontaktów z polskim podziemiem. 22 lipca 1942 roku rozpoczęła się w getcie warszawskim akcja deportacyjna zwana Wielką Akcją, w wyniku której wywieziono do Treblinki około 265 tysięcy Żydów. Znacznie zmniejszoną dzielnicę zamkniętą podzielono na samowystarczalne sektory: kompleksy szopów (warsztatów i fabryk) otoczone murem bądź ogrodzeniami z drutu kolczastego z własnymi piekarniami, aptekami, sklepami spożywczymi. Ograniczono ilość bram, wprowadzono zakaz łączności pocztowej, nadal działała łączność telefoniczna. Rozwijały się także podziemne formy handlu i usług, działała samopomoc społeczna. Tworzył się zbrojny ruch oporu i jego zaplecze polityczne, szykowano się do obrony: odtwarzano zdziesiątkowane organizacje, budowano bunkry, nawiązywano kontakty z polskim podziemiem, z pomocą którego dozbrajano się i szkolono.
W dniach 18-22 stycznia 1943 roku, przy próbie przeprowadzenia kolejnego wysiedlenia, w czasie Akcji Styczniowej, Żydzi po raz pierwszy bronili się zbrojnie. Organizacje bojowe (Żydowska Organizacja

the war as the Ghetto Uprising. Following its suppression, fewer of the remaining inhabitants of the Ghetto were taken to Treblinka, while more went to the labour camps of Poniatowa, Trawniki and Majdanek (where they did not lose their lives until the mass murders of November 1943). It is a mistake to identify life in the Ghetto with the full five years of gehenna endured by Warsaw's Jews. Yet, for some reason, the interest shown in the wartime fate of the city's Jewish population other than at the time of the Ghetto has been limited. Perhaps it reflects the exceptional nature of the complete separation of the district for Jews (something not seen since the Middle Ages), or its hermetic sealing (an unprecedented "invention" of the Nazis), or the murder of almost all the district's inhabitants in a short time. Yet Jews remained in Warsaw from the September 1939 Campaign (in which they participated in and out of uniform) through the 1944 Warsaw Uprising (in which they fought or shared the fate of other Polish civilians), and until its defeat. Of course, the death toll for Jews throughout all of this rose steadily, due to planned and deliberately organised activity. At first, in the occupied city, there were several hundred thousand Jews living completely "legally" among other Varsovians – with the one visible difference being the white armband with blue Star of David on their right arms. Later, "legal" only within the Ghetto walls, there were still more Jews – almost half a million. For all that the months before the Ghetto's establishment were the proverbial road to hell for Jews, the ghetto itself was the real thing:

Bojowa i Żydowski Związek Wojskowy) przygotowywały się do obrony mieszkańców getta: młodzież uczyła się strzelać, nakładała kontrybucje na bogatszych mieszkańców dzielnicy, paliła niemieckie magazyny, odbijała więźniów, karała zdrajców i agentów niemieckich. 19 kwietnia 1943 roku, przy próbie ostatecznej likwidacji getta, żołnierze żydowscy i grupy ludności cywilnej podjęły zorganizowany i niezorganizowany opór nazwany po wojnie powstaniem w getcie warszawskim. Po upadku powstania mniejszą część ludności wymordowano w Treblince, większą wywieziono do obozów pracy w Poniatowej, Trawnikach i Majdanku (ci mieli zginąć w masowych egzekucjach „dopiero" w listopadzie 1943 roku). Błędnym jest utożsamianie życia za murem z pięcioletnią gehenną żydowskich warszawiaków. Być może właśnie fenomen wydzielenia zupełnie osobnej dzielnicy dla Żydów (rzecz zapomniana od średniowiecza), jej hermetyczne zamknięcie (bezprecedensowy „wynalazek" niemiecki) oraz wymordowanie prawie wszystkich mieszkańców dzielnicy w krótkim okresie spowodowały brak zainteresowania innym niż gettowy czasem. Od Kampanii Wrześniowej 1939 (w której Żydzi brali udział w mundurach i bez mundurów), aż do Powstania Warszawskiego 1944 (w którym walczyli lub dzielili los polskiej ludności cywilnej) i nawet po jego kapitulacji ludność żydowska była zawsze w Warszawie obecna – choć Żydzi ginęli systematycznie, w zastraszającym tempie, w sposób planowy i logicznie zorganizowany. Najpierw, w okupowanym mieście, było ich kilkaset tysięcy

in 1941 alone, nearly 100,000 people died of starvation and disease there. This was a death toll 30,000 times greater than for Polish soldiers killed in the 1939 defence of their country. Thus, even at this stage, and in Warsaw alone, the Nazi policy had assumed the dimensions of genocide. To earn itself this foul description, it did not even need extension to the exterminations at Treblinka (brought into operation "as late as" July 23, 1942) or to the commencement of the murders of 265,000 ghetto inhabitants in just over two months. Treblinka was just a further step on a path of genocide embarked upon long before, albeit now on an industrial scale: for, in each of the three gas chambers there, the killing rate was around 100 murders per day per square metre of floor space. Thanks to such increasingly efficient organisation, the time taken to murder six to seven thousand people was cut from three hours to one, maximally two: it was exactly this amount of time that passed from the arrival of a fresh transport to the time that all its passengers were dead. The suppression of the April-May 1943 Uprising left perhaps 10-20,000 Jews, perhaps several tens of thousands, living once again among other Varsovians, though now completely illegally. For even the liquidation of the ghetto did not bring about a final elimination of the Jewish community from Warsaw. The population of the closed district, though cut with time by 50, 60, 70, 80 and 90%, still survived as at least some small remnant. Moreover, some of the escapees – and there were more than may be supposed – remained as a non-random, often even organised,

zupełnie „legalnie" żyjących pomiędzy wszystkimi innymi warszawiakami. Z tą tylko różnicą, że okupant traktował ich inaczej niż Polaków i że nosili na prawym ramieniu białą opaskę z niebieską gwiazdą Dawida. Później, „legalnie" już tylko między murami, samych ze sobą, w sumie było Żydów jeszcze więcej: prawie pół miliona. O ile miesiące przed utworzeniem getta były dla Żydów przysłowiowym przedsionkiem piekła, czas getta był już piekłem rzeczywistym: tylko w 1941 roku między murami z głodu i chorób zmarło prawie 100 tysięcy ludzi – o 30 tysięcy więcej niż polskich żołnierzy poległych w wojnie obronnej 1939 roku. Tak więc, by politykę niemiecką wobec Żydów (realizowaną już tylko w Warszawie) nazwać zbrodnią ludobójstwa, nie trzeba było ośrodka zagłady w Treblince, który uruchomiono „dopiero" 23 lipca 1942 roku, nie trzeba było wymordowania w ciągu dwóch miesięcy 265 tysięcy mieszkańców stołecznego getta. Treblinka była już ludobójstwem industrialnym: na jednym metrze kwadratowym każdej z trzech komór ginęło dziennie około 100 ludzi. Dzięki coraz sprawniejszej niemieckiej organizacji operację wymordowania 6-7 tysięcy ludzi skrócono z 3 do 1, maksimum 2 godzin: dokładnie tyle czasu upływało od chwili przybycia transportu do chwili śmierci wszystkich jego „pasażerów". Po stłumieniu kwietniowego powstania 1943 roku pozostało – znów żyjących między wszystkimi innymi warszawiakami, ale już całkowicie nielegalnie – może kilkanaście, a może kilkadziesiąt tysięcy Żydów. Likwidacja gett nie położyła bowiem ostatecznie kresu istnienia społeczności żydowskiej.

body of people. Their objective – though not the only one for all – was to survive. Jews in hiding managed to found political representation alongside the structures of the Polish underground state. The Jewish Fighting Organisation (in the wake of the crushing of the Ghetto Uprising), the Jewish National Committee (even earlier), and even political parties (including the Jewish Labour Bund), had either their own institutions or ones run jointly with their Polish counterparts (like Żegota – the Council for Aid to Jews); their own funds, publications and newspapers; ideologies; plans of action and even visions of a future political and social order. In this way, the conspiratorial Jewish organisations were acting to save both Jews and Jewry. Thus, the story of the Occupation in Warsaw is one both beginning and ending with Jews, not in a state of physical isolation, but both among and as one with those termed "Poles" by the Nazis. The two groups endured persecution, but the Occupant's means of proceeding with each of them were entirely distinct. The anti-Jewish policy denoted – in our contemporary understanding, though not that of the time – several successive stages of the Holocaust: the definition of Jews and Jewishness, and then their identification, disenfranchisement, concentration, deportation and mass murder. The last three phases have already been spoken about, and in regard to who was a Jew for sure and who was not, the Nazis had prepared themselves even before the war, by means of a 1935 Act passed by the Reichstag in Nürnberg. This provided that a Jew was a person descended

Ludzie z dzielnic zamkniętych – chociaż stopniowo ich ubywało, choć było ich już z czasem o 50, 60, 70, 80, 90% mniej – żyli przecież nadal. Co więcej część uciekinierów z gett – wcale nie tak mała, jak myślimy – pozostawała zbiorowością nieprzypadkową, często zorganizowaną. Celem, ale nie dla wszystkich jedynym, było oczywiście przetrwanie. Ukrywającym się Żydom udało się w okupowanej Warszawie utworzyć reprezentację polityczną obok struktur polskiego państwa podziemnego. Żydowska Organizacja Bojowa po upadku powstania w getcie, Żydowski Komitet Narodowy już wcześniej, szczątkowo partie polityczne, wśród nich Bund, miały własne lub wspólne z Polakami instytucje (Rada Pomocy Żydom „Żegota"), własne fundusze, wydawnictwa, gazety, ideologię, wypracowane metody działań, a nawet własną wizję przyszłego ładu politycznego i społecznego. Konspiracyjne organizacje żydowskie w podziemiu działały na rzecz ocalenia Żydów i żydostwa.
Okupacyjna historia Żydów warszawskich rozpoczyna się więc i kończy nie w fizycznej izolacji, lecz między tymi i wraz z tymi, których okupant uważał za Polaków. Ich losy były jednak tak różne, jak nie tożsamy był sposób postępowania okupanta wobec obu grup prześladowanej ludności. Politykę żydowską, a właściwie antyżydowską, wyznaczają – wedle naszego dzisiejszego rozeznania, nie zaś ówczesnego myślenia – kolejne etapy Holokaustu: definicja Żyda, oznaczenie, wywłaszczenie, koncentracja, deportacja i masowy mord.
O trzech ostatnich fazach była już mowa.

from at least one Jewish grandparent. (The concept of a "Jew" in this text denotes someone embraced by the extermination policy pursued by the Occupant, on account of his or her own faith or the beliefs of his or her ancestors, yet with no attention paid to national sentiment, religion actually practiced (or not), or language regarded as native.) The process by which Jews were deprived of their property and other assets – the largest transfer of ownership witnessed on Polish territory prior to the changes ushered in by the communists – was one from which the beneficiaries – even while the war was still in progress – were also Poles. The genocide committed over half a century ago was humanity's first experience with something of its kind. At the time, neither the majority of its victims nor the majority of those who observed it nor even most of the perpetrators were in any position to apprehend clearly that the armbands or even the entry into ghettos would in this particular reality denote nothing more or less than death. In fact, only a very few people came to perceive, over time, that, on this particular occasion, it was not simply a case of persecuting Jews (something that the world was in some sense quite used to), nor even of murdering Jews (a not-infrequent occurrence since the time of the destruction of the Second Temple), but rather of murdering every last Jew. It is in this fact that the exceptional nature of the Holocaust lies.

Z określeniem, kto na pewno jest Żydem, a kto nim nie jest, Niemcy uporali się „już" przed wojną za pomocą ustaw uchwalonych przez Reichstag w Norymberdze w 1935 roku. Stanowiły one, że Żydem jest ten, kto pochodzi od co najmniej jednego dziadka żydowskiego. (Pojęcie „Żyd" w tym tekście oznacza osobę objętą eksterminacyjną polityką okupanta ze względu na wyznanie własne lub przodków, zupełnie zaś niezależnie od poczucia narodowego, religii czy języka uważanego za ojczysty.) Wywłaszczenie Żydów, rozpoczęte w 1939 roku, było największą na ziemiach polskich – do czasu przemian przeprowadzonych przez komunistów – rewolucją własnościową. Jej beneficjentami już podczas wojny stawali się także Polacy.

Dokonana przed ponad półwieczem Zagłada była pierwszym tego typu doświadczeniem ludzkości. Wówczas ani dla większości ofiar, ani dla większości obserwatorów, ani nawet dla większości sprawców nie mogło być i nie było jasne, że nałożenie opaski, czy może dopiero wejście do getta, będzie w tamtej konkretnej rzeczywistości oznaczać śmierć. Tylko bardzo nieliczni w porę zdołali postrzec i zrozumieć, że tym razem nie chodzi o prześladowania Żydów – do czego świat się w jakimś sensie przyzwyczaił – nie o ich mordowanie – co się przecież od drugiego zburzenia Świątyni często zdarzało – ale o wymordowanie ich wszystkich.

I to stanowi o wyjątkowości Holokaustu.

September 1939 - November 1940

The Occupation

wrzesień 1939 - listopad 1940

Okupacja

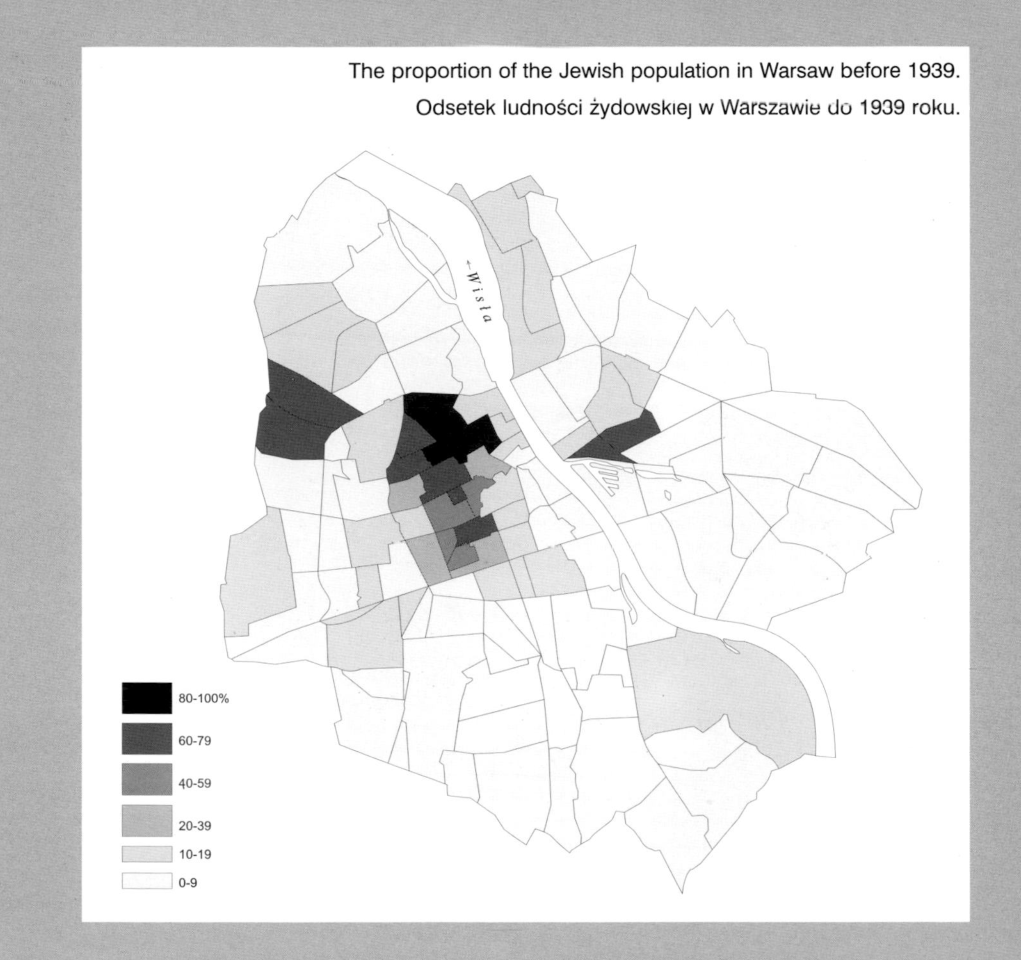

Before the outbreak of the war Warsaw has some 1.3 million inhabitants. Living amongst them, in various areas of the city, are almost 370,000 Jews.

Przed wybuchem wojny w Warszawie mieszka około 1,3 mln ludzi. Między nimi – w rozmaitych dzielnicach miasta – żyje prawie 370 tysięcy Żydów.

The September 1939 military campaign. German soldiers moving to the front are encouraged by the slogan "We are going to Poland to thrash the Jews".

Kampania Wrześniowa 1939. Żołnierze niemieccy wyruszają na front pod hasłem „Jedziemy do Polski rozprawić się z Żydami".

Autumn 1939. Cutting off Jews' beards is a favourite pastime of German soldiers.

Jesień 1939. Obcinanie brody Żydom to ulubione zajęcie żołnierzy niemieckich na przepustce.

Autumn 1939. Near the Adam Mickiewicz Monument on Krakowskie Przedmieście Street, Germans lead Jews off to forced labour.

Jesień 1939. Krakowskim Przedmieściem, obok pomnika Adama Mickiewicza, Niemcy prowadzą Żydów do robót przymusowych.

Autumn 1939. A Jew in traditional apparel – not yet with armband – on Piłsudski Square. As of spring 1940, Jews are forbidden from walking on some of Warsaw's finest streets and squares.

Jesień 1939. Żyd w tradycyjnym stroju – jeszcze bez opaski – na placu Piłsudskiego. Od wiosny 1940 roku Żydom nie wolno wchodzić na niektóre reprezentacyjne ulice i place Warszawy.

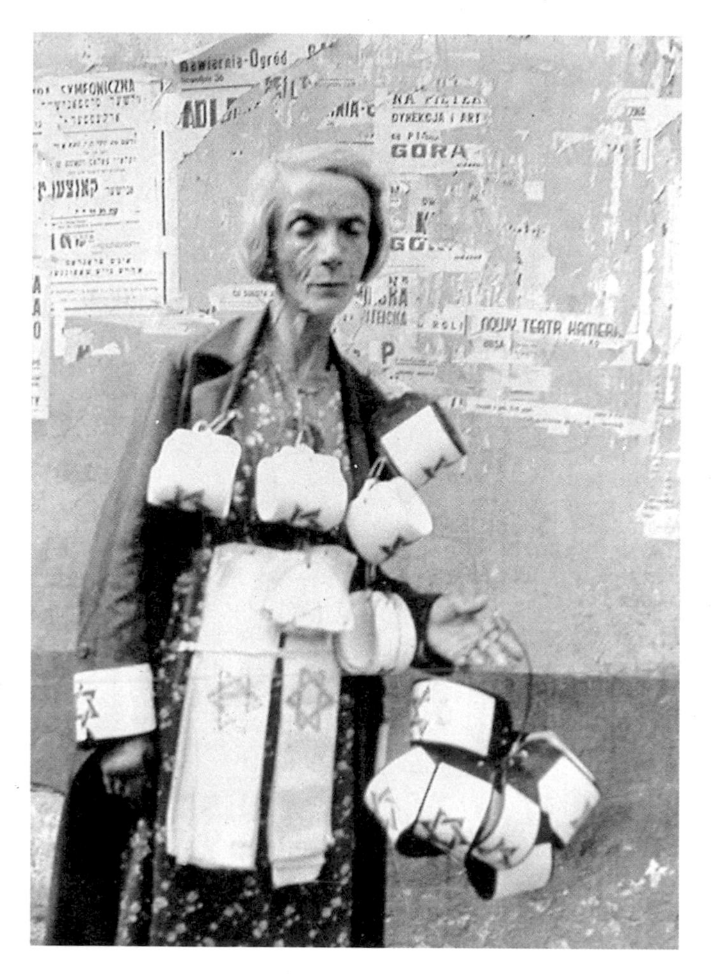

As of December 1939, the Nazis oblige Jews to wear armbands bearing a blue Star of David, which they are to purchase or sew for themselves.

W grudniu 1939 roku Niemcy nakazują Żydom noszenie opasek z gwiazdą Dawida. Opaskę należy sobie kupić lub uszyć.

March 1940 sees what was traditionally considered the Jewish quarter of Warsaw gain a new description: "Quarantine: Typhus-Endangered Area". Due to the alleged health risk, Poles are only able to pass through the district by tram.

W marcu 1940 roku tradycyjna dzielnica żydowska w Warszawie otrzymuje nową nazwę: „Obszar zagrożony tyfusem". Przez teren rzekomo dotknięty zarazą Polacy mogą jedynie przejeżdżać tramwajem.

W a r s z a w a

Prowokowanie pogromów. Poczynając od drugiego dnia świąt wielkanocnych poszczególne dzielnice i ulice Warszawy są codziennie widownią zajść antyżydowskich. Dzieci i wyrostki /od 9 do I4 lat/ oraz różne pojedyncze podejrzane indywidua wybijają szyby, inicjują grabieże sklepów, biją do krwi przechodzących Żydów. Władze niemieckie nie reagują. Policja polska bez skutku usiłuje opanować sytuację. Na Marszałkowskiej i Woli stwierdzono filmowanie zajść przez Niemców.

Mamy do czynienia z typową robotą agentów niemieckich. Wyzyskując polski antysemityzm oraz słabe wyrobienie mas polskich - akcja ta ma na celu: a-odwrócenie uwagi mas od okupantów, b-"sublimowanie" nagromadzonej nienawiści do Niemców przez przerzucenie jej na Żydów, c-poderwanie sympatyj propolskich w krajach aljanckich i w USA, d-rozbicie frontu antyniemieckiego w kraju na wzajemnie zwalczające się grupy.

Agenturą niemiecką, realizującą powyższe cele jest ta część Falangi, która od dłuższego czasu usiłuje stać się zaczątkiem polskiej partji narodowo-socjalistycznej. /Kierownik - Andrzej Świetlicki, organizator bojówek oenerowskich, płatny agent niemiecki. Patronowie: ksiądz Trzeciak, patologiczny antysemita oraz b.prof. Uniw. Warsz. - Cybichowski, znany z procesu o łapówki egzaminacyjne na wydziale prawa/.

Zarówno sama "akcja" jak i użycie do niej "komorek" dziecięcych i młodzieżowych - nie wymagają szerszych omówień z punktu widzenia moralności i polskiej racji stanu. Zalecamy odbiorcom Biuletynu: I/naświetlenie zagadnienia w najszerszych sferach społeczeństwa. 2/reagowanie na ulicach przeciw wybrykom dzieci i młodzieży.

The "Information Bulletin" (Biuletyn Informacyjny) is the Polish Underground's most important newspaper. On March 29, 1940, it reports a pogrom against Jews provoked by the Nazis, in which Polish inhabitants of Warsaw play a major role.

„Biuletyn Informacyjny", najważniejsza gazeta polskiego podziemia, 29 marca 1940 roku podaje wiadomość o sprowokowanych przez Niemców pogromach Żydów, w których główną rolę odegrali polscy mieszkańcy Warszawy.

The Occupying Power begins walling off part of the city (i.e., the creating a ghetto) in summer 1940.
The Old Town has not been included within the closed district. The wall on Piwna Street
by Castle Square is supposed to be pulled down after a couple of weeks.

Ogradzanie części miasta czyli tworzenie getta okupant rozpoczyna latem 1940 roku.
Starówka ostatecznie nie zostaje włączona do dzielnicy zamkniętej.
Mur na ulicy Piwnej przy placu Zamkowym ma być rozebrany po paru tygodniach.

In October and November 1940, the size of the population in the traditional Jewish quarter increases by 138,000, due to influxes of people from other parts of the capital. Jews move in long columns towards the Ghetto gate onto Leszno Street near 86 Żelazna St.

W październiku i listopadzie 1940 roku liczba ludności tradycyjnej dzielnicy żydowskiej powiększa się o 138 tysięcy przesiedleńców z innych rejonów miasta. Żydzi suną długimi kolumnami w stronę bramy do getta na ulicy Leszno w pobliżu ulicy Żelaznej 86.

Newcomers usually fail to heed the order to leave all furniture behind. Their greatest problem is to find somewhere to live within the overcrowded Ghetto.

Przesiedleńcy zazwyczaj nie respektują nakazu pozostawienia całego umeblowania. Najważniejszym problemem jest znalezienie mieszkania w getcie.

November 1940 - July 1942

The Ghetto

listopad 1940 - lipiec 1942

Getto

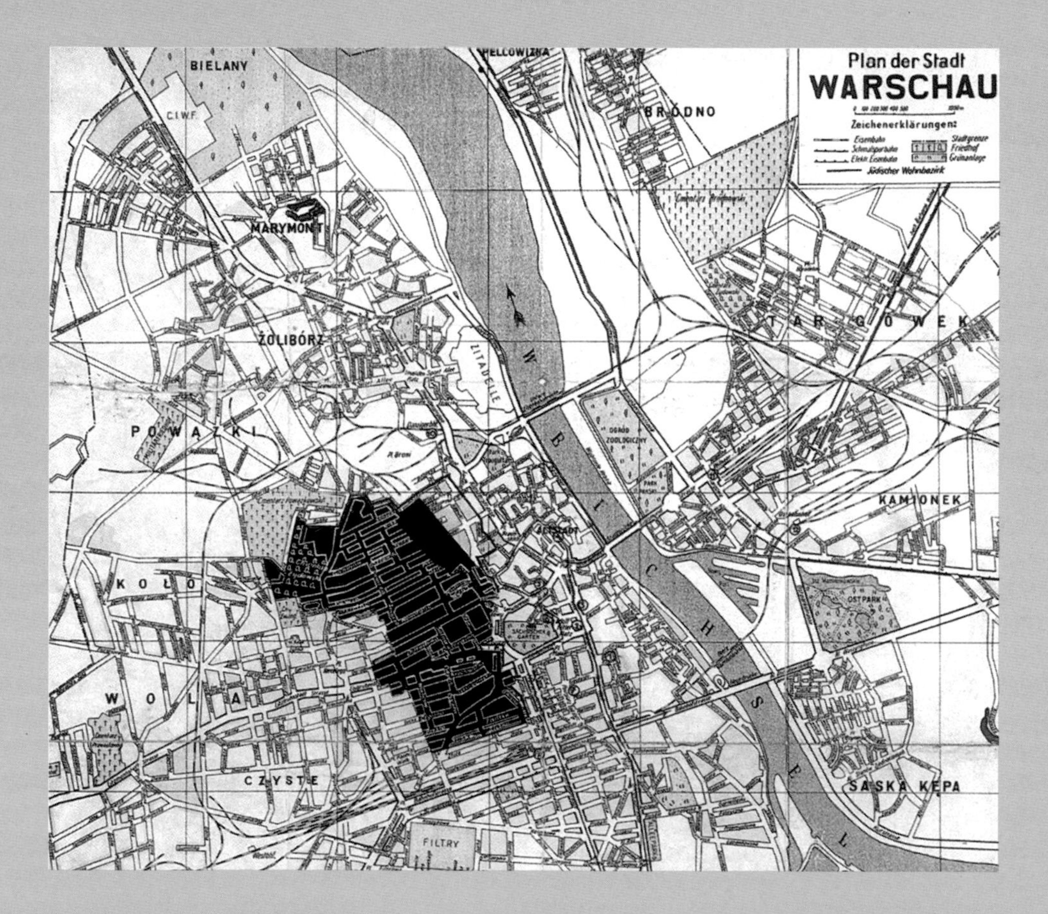

A 1941 German map of Warsaw, on which the Ghetto area is denoted by the term Jüdischer Wohnbezirk (Jewish residential district). Use of the word “ghetto” within the capital city is prohibited.

Niemiecki plan Warszawy z 1941 roku z zaznaczonym terenem getta nazwanym Jüdischer Wohnbezirk (żydowska dzielnica mieszkaniowa). Używanie nazwy „getto” jest w stolicy zakazane.

The throughfare Chłodna St. divides the Ghetto in two. Paassage between the southern, so-called Little Ghetto (with 100,000 Jews), and the northern Large Ghetto (with 300,000) is made possible via a wooden bridge.

Tranzytowa ulica Chłodna dzieli getto na dwie części. Komunikację pomiędzy południowym tzw. małym gettem (100 tysięcy Żydów), a północnym tzw. dużym gettem (300 tysięcy Żydów) umożliwia drewniany most.

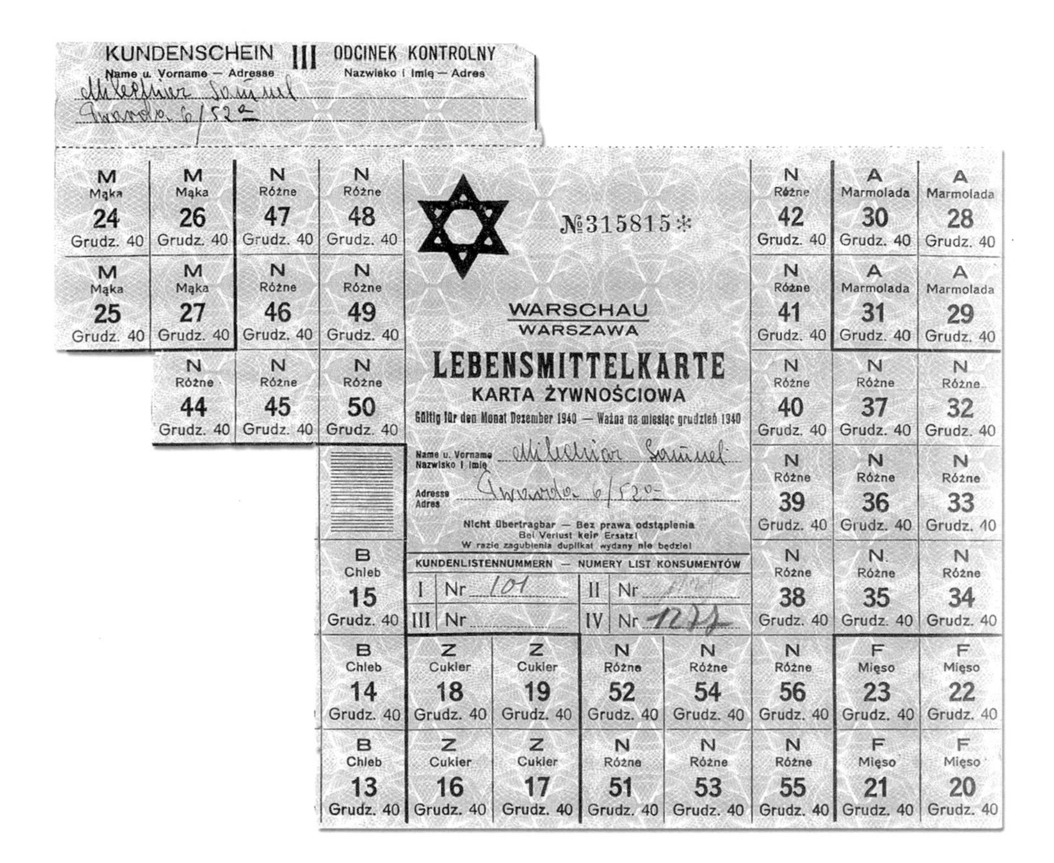

KUNDENSCHEIN III ODCINEK KONTROLNY
Name u. Vorname — Adresse
Nazwisko i Imię — Adres

№315815*

WARSCHAU
WARSZAWA

LEBENSMITTELKARTE
KARTA ŻYWNOŚCIOWA
Gültig für den Monat Dezember 1940 — Ważna na miesiąc grudzień 1940

Name u. Vorname
Nazwisko i Imię

Adresse
Adres

Nicht übertragbar — Bez prawa odstąpienia
Bei Verlust kein Ersatz!
W razie zagubienia duplikat wydany nie będzie!

KUNDENLISTENNUMMERN — NUMERY LIST KONSUMENTÓW
I Nr 101 II Nr
III Nr IV Nr

M Mąka 24 Grudz. 40
M Mąka 26 Grudz. 40
N Różne 47 Grudz. 40
N Różne 48 Grudz. 40
N Różne 42 Grudz. 40
A Marmolada 30 Grudz. 40
A Marmolada 28 Grudz. 40
M Mąka 25 Grudz. 40
M Mąka 27 Grudz. 40
N Różne 46 Grudz. 40
N Różne 49 Grudz. 40
N Różne 41 Grudz. 40
A Marmolada 31 Grudz. 40
A Marmolada 29 Grudz. 40
N Różne 44 Grudz. 40
N Różne 45 Grudz. 40
N Różne 50 Grudz. 40
N Różne 40 Grudz. 40
N Różne 37 Grudz. 40
N Różne 32 Grudz. 40
N Różne 39 Grudz. 40
N Różne 36 Grudz. 40
N Różne 33 Grudz. 40
B Chleb 15 Grudz. 40
N Różne 38 Grudz. 40
N Różne 35 Grudz. 40
N Różne 34 Grudz. 40
B Chleb 14 Grudz. 40
Z Cukier 18 Grudz. 40
Z Cukier 19 Grudz. 40
N Różne 52 Grudz. 40
N Różne 54 Grudz. 40
N Różne 56 Grudz. 40
F Mięso 23 Grudz. 40
F Mięso 22 Grudz. 40
B Chleb 13 Grudz. 40
Z Cukier 16 Grudz. 40
Z Cukier 17 Grudz. 40
N Różne 51 Grudz. 40
N Różne 53 Grudz. 40
N Różne 55 Grudz. 40
F Mięso 21 Grudz. 40
F Mięso 20 Grudz. 40

A ration card for a Jewish inhabitant dating from December 1940.
The daily food ration in the Ghetto in 1941 is 184 calories, just 15% of the biological minimum.
Thus, the official allocation allows for 2.5 kg of bread a month and 25 decagrams of sugar, jam and soap.

Karta aprowizacyjna dla Żydów z grudnia 1940 roku.
Dzienna racja żywności w 1941 roku w getcie wynosi 184 kalorie czyli 15% minimum biologicznego.
Na oficjalne przydziały miesięczne można kupić 2,5 kg chleba, 25 dkg cukru, marmoladę i mydło.

Starvation rations and the lack of any free market make the mass smuggling of food essential to survival.
Were it not for smugglers – frequently picked off by German guards – the Ghetto
would not have survived even one month.

Głodowe racje i brak wolnego rynku wymuszają masowy przemyt żywności.
Bez szmuglerów, ginących często od strzałów niemieckich wartowników, getto nie przetrwałoby nawet miesiąca.

Smuggling is first and foremost the work of children, who frequently sustain entire families.
Food is most often carried in beneath their clothing.

Szmuglem zajmują się przede wszystkim dzieci. Często one utrzymują całe rodziny.
Żywność najczęściej przenoszą pod ubraniem.

Smuggler children pass through the gates of the Ghetto by taking advantage of the momentary inattentiveness of German gendarmes and Polish police. In seeking to re-enter, they often lose their precious goods or find themselves arrested.

Nieletni szmuglerzy przekradają się przez bramy getta wykorzystując nieuwagę niemieckich żandarmów i polskich policjantów. Powracający często tracą swój cenny towar lub trafiają do aresztu.

Jewish children exercise in the yard of the Ghetto's Central Prison on Gęsia St. As of May 1942, some 40% of the inmates here are under-age smugglers.

Żydowskie dzieci gimnastykują się na dziedzińcu Aresztu Centralnego przy ulicy Gęsiej. W maju 1942 roku około 40% więźniów Gęsiówki stanowią nieletni szmuglerzy.

Some of the 73 streets of the closed district house more people than entire small towns:
Thus, Pawia St. is home to 26,000 people, Nowolipie to 21,000.

Na niektórych z 73 ulic dzielnicy zamkniętej liczba mieszkańców przekracza liczbę ludności małego miasta:
na Pawiej mieszkało 26 tysięcy ludzi, na Nowolipiu – 21 tysięcy.

Each room of the 27,000 dwellings in the closed district houses an average of eight people.
The street becomes the place in which most Jews spend their day.

Jedną izbę w 27 tysiącach mieszkań dzielnicy zamkniętej zajmuje przeciętnie 8 osób.
Ulica staje się miejscem, gdzie większość Żydów spędza cały dzień.

The Judenrat (Jewish Council) headquarters at 26/28 Grzybowska Street. It is the task of Adam Czerniaków, as President of the Council, "to carry out all German regulations issued or to be issued precisely and within the designated time".

Gmach Judenratu (Rady Żydowskiej) przy ulicy Grzybowskiej 26/28. Zadaniem Adama Czerniakowa, prezesa Judenratu, jest wykonywanie wszystkich rozporządzeń niemieckich wydanych i tych, które mają być wydane – dokładnie i w ustalonym terminie.

A Jewish policeman reports to the President of the Judenrat (or nominal head of the Jewish Order Service) and to the Commander of the Polish Police (the actual head of the unit).

Policjant żydowski składa meldunek prezesowi Judenratu (formalny zwierzchnik Żydowskiej Służby Porządkowej) i komendantowi Policji Polskiej (faktyczny zwierzchnik formacji).

It is possible to buy small amounts of controlled food at low prices in the Ghetto – or limitless amounts of smuggled food. A trader protects her wares against the hungry.

W getcie można nabyć drobne ilości reglamentowanej żywności po niskich cenach lub nieograniczone ilości żywności szmuglowanej. Handlarka chroni towar przed głodującymi.

A woman sells potatoes by a theatre poster. Five theatres operate in the Ghetto, of which three have shows in Yiddish, two in Polish. Their combined audience capacity is of 3,000. Illegal ad hoc theatres also exist.

Kobieta sprzedaje ziemniaki pod afiszem teatralnym. W getcie działa pięć stałych teatrów, z których trzy grają w języku jidisz a dwa – po polsku; łącznie dla 3 tysięcy widzów. Istnieją też teatrzyki nielegalne.

12 Franciszkańska St. Ever fewer people remain on the streets of the Ghetto. Mortality among Jews is now ten times higher than in the pre-war period.

Ulica Franciszkańska 12. Ludzi na ulicach getta jest coraz mniej. Śmiertelność Żydów w porównaniu z okresem przedwojennym rośnie dziesięciokrotnie.

Corpses on the street no longer attract anyone's attention.
The first to die are children, the elderly and the sick.

Zwłoki zmarłego na ulicy nie przyciągają już niczyjej uwagi.
Pierwszymi ofiarami śmierci są dzieci, ludzie starzy i chorzy.

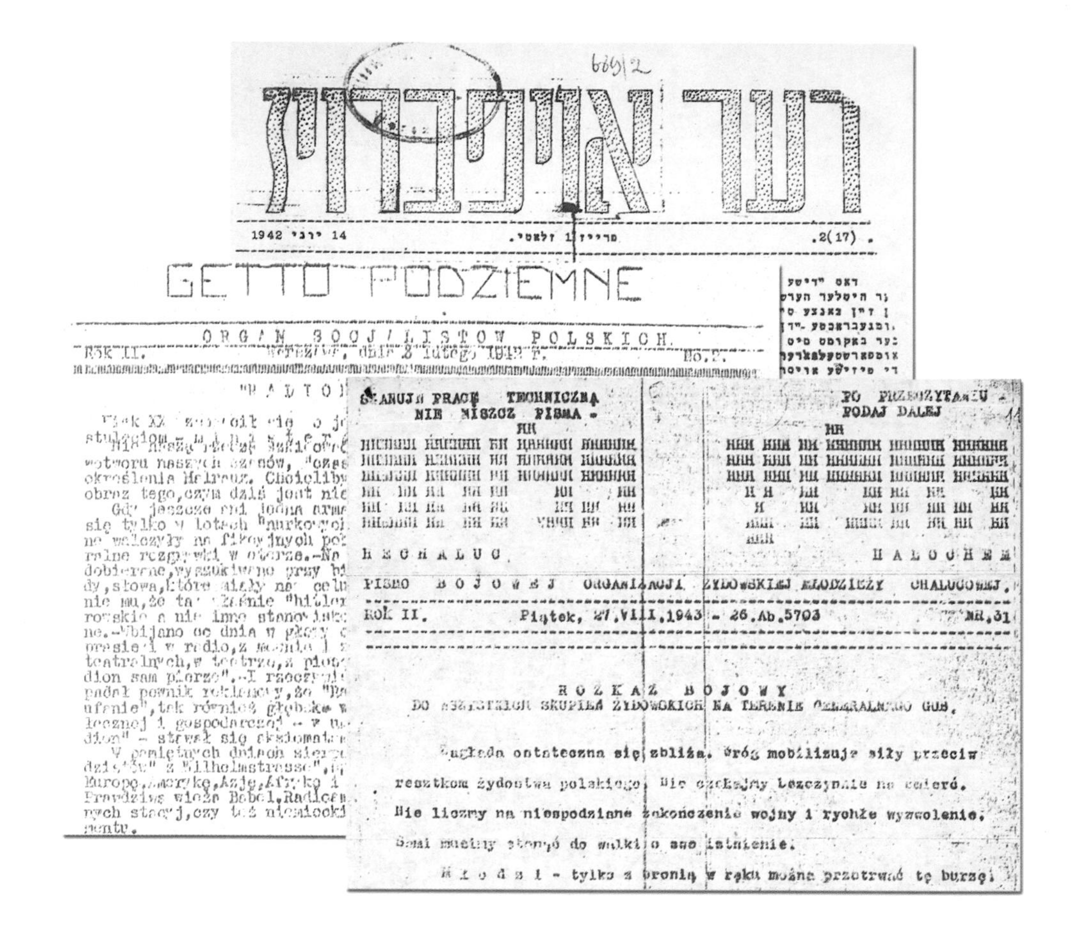
דער אויפרוף

1942 יאנ׳ 14 — .2(17)

GETTO PODZIEMNE

ORGAN SOCJALISTÓW POLSKICH.

ROK II. — No. 2.

SZANUJ PRACĘ TECHNICZNĄ NIE NISZCZ PISMA -

PO PRZECZYTANIU PODAJ DALEJ

HECHALUC HALOCHEM

PISMO BOJOWE ORGANIZACJI ŻYDOWSKIEJ MŁODZIEŻY CHALUCOWEJ.

ROK II. Piątek, 27.VIII.1943 - 26.Ab.5703 NR.31

ROZKAZ BOJOWY
DO WSZYSTKICH SKUPIEŃ ŻYDOWSKICH NA TERENIE GENERALNEGO GUB.

Zagłada ostateczna się zbliża. Wróg mobilizuje siły przeciw resztkom żydostwa polskiego. Nie czekajmy bezczynnie na śmierć. Nie liczmy na niespodziane zakończenie wojny i rychłe wyzwolenie. Sami musimy stanąć do walki o swe istnienie.

Młodzi - tylko z bronią w ręku można przetrwać tę burzę.

Three of the roughly 50 conspiratorial broadsheets published in the Ghetto. Some have print runs of between 300 and 500, with each being read by 20 readers or more.

Trzy z około pięćdziesięciu gazet konspiracyjnych wydawanych w getcie. Niektóre powielano w nakładzie od 300 do 500 egzemplarzy, każdy numer czytany był przez 20. i więcej czytelników.

The Court Building – an important meeting and illegal crossing point between the Ghetto and the so-called Aryan side, accessible to non-Jewish Poles from Biała St. and to Jews from Leszno St.

Gmach Sądów – ważny punkt spotkań i miejsce nielegalnego przejścia między gettem a tzw. aryjską stroną – dostępny jest dla Polaków od ulicy Białej, a dla Żydów od ulicy Leszno.

The Children's Home for Orthodox children at 7 Twarda St.
The many social-welfare institutions of the Ghetto care for 40,000 children.

Dom Dziecka dla dzieci z domów ortodoksyjnych, ulica Twarda 7.
Opieką w rozmaitych placówkach opiekuńczych getta objętych jest 40 tysięcy dzieci.

The canteen at Dr Janusz Korczak's orphanage at 29 Krochmalna St.
The Ghetto has 14 orphanages for over 2,000 children.

Jadalnia w Domu Sierot doktora Korczaka przy ulicy Krochmalnej 29.
W getcie jest 14 sierocińców dla ponad 2 tysięcy dzieci.

The soup kitchen for Orthodox Jews at 27 Nalewki St. The tens of thousands of servings of hot soup it offers each day are often the only meals these Ghetto inhabitants receive.

Kuchnia ludowa dla ortodoksyjnych Żydów, ulica Nalewki 27. Kuchnie społeczne wydają codziennie kilkadziesiąt tysięcy porcji zupy. Często jest to jedyny posiłek dla wielu mieszkańców getta.

A synagogue in the Ghetto
becomes a shelter
for refugees and deportees
from other towns.

Dom modlitwy w getcie
zamieniony na schronisko dla
przesiedleńców z innych miast.

Nos. 109-111 Leszno St. Around 25% of the Ghetto's inhabitants die of hunger or disease in the course of less than two years. Many pass away on the street.

Ulica Leszno 109-111. W getcie z głodu i chorób w ciągu niespełna dwóch lat umiera około 25% mieszkańców. Wielu z nich umarło na ulicy.

The removal of corpses is a night-time occupation of the police and funeral home workers.
Sprzątaniem zwłok z ulicy zajmują się w nocy policjanci i robotnicy bractwa pogrzebowego.

A body is cast into a mass grave on the site of the pre-war Skra sports club adjacent to the Jewish Cemetery at 49-51 Okopowa Street.

Zwłoki zmarłego z głodu wrzucane są do zbiorowego grobu na terenie przedwojennego klubu sportowego PPS Skra sąsiadującego z żydowskim cmentarzem przy ulicy Okopowej 49-51.

Inequality shows its face in death as in life. A hearse and mourners pass from the Ghetto to the Okopowa Street Cemetery.

Nierówność pojawia się także w śmierci. Karawan i żałobnicy wychodzą z getta na cmentarz przy ulicy Okopowej.

July 1942 - September 1942

The Great Action

lipiec 1942 - wrzesień 1942

Wielka Akcja

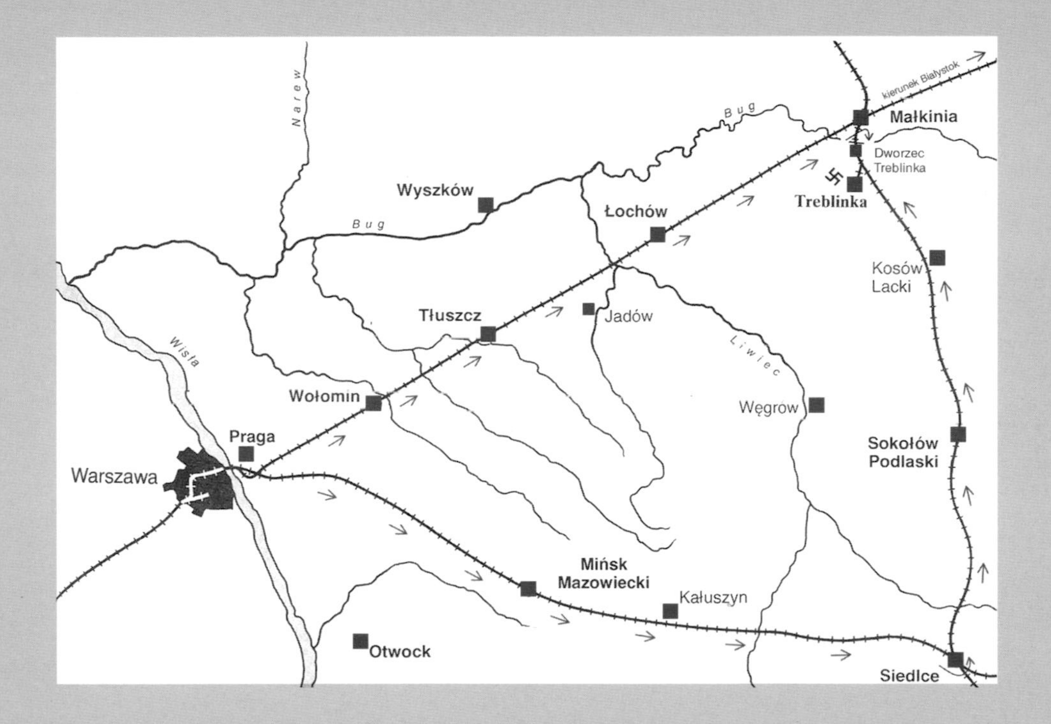

The Warsaw-Treblinka railway line. In the course of just seven weeks, the so-called Great Action sees some 265,000 Warsaw Jews transported to the extermination camp at Treblinka and immediate death in the gas chambers.

Trasa kolejowa Warszawa-Treblinka. W ciągu 7 tygodni Wielkiej Akcji wywozi się do ośrodka zagłady w Treblince i uśmierca w komorach gazowych około 265 tysięcy Żydów warszawskich.

En route to the Umschlagplatz. Initially, the disorientated and terrorised Jews do not resist, as they are unaware of the real aim of the Nazi action, taken in by promises of work "in the East", the possibility of taking baggage and the rations of food for the journey. Any attempts at escape are resisted by a tight cordon of Polish police and Lithuanian auxiliaries.

W drodze na Umschlagplatz. Początkowo zdezorientowani i sterroryzowani Żydzi, nie znający prawdziwego celu niemieckiej akcji, skuszeni obietnicą pracy „na Wschodzie", możliwością zabrania bagażu i przydziałem żywności na drogę, nie stawiają oporu. Ewentualnym próbom ucieczki przeciwdziałać ma kordon Policji Polskiej i pomocniczych oddziałów litewskich.

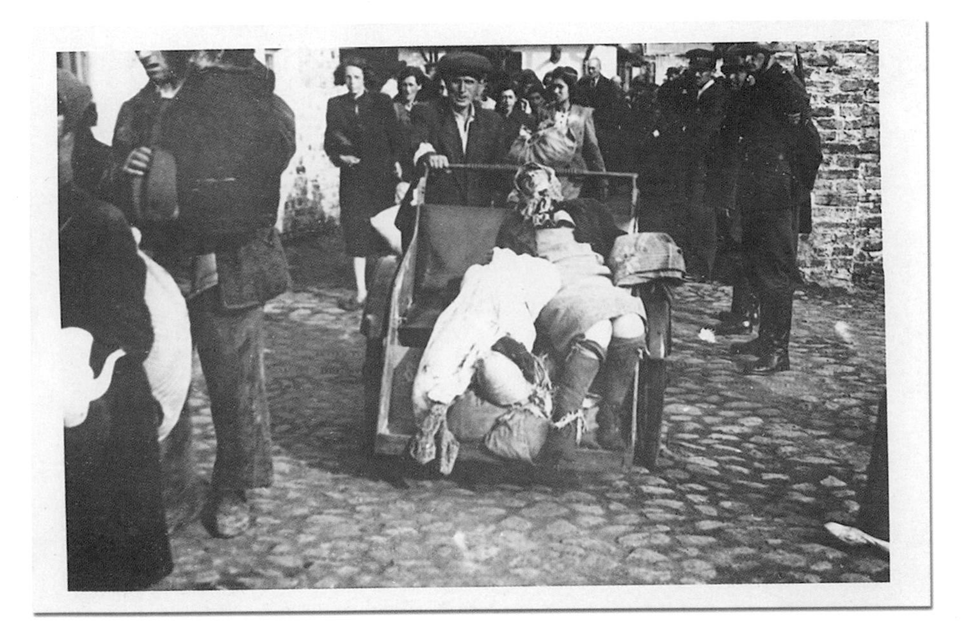

A column of Jews reaches the Umschlagplatz, a former rail loading yard on Stawki St., served by a siding running from Warsaw's Gdańsk Station. Trains to Treblinka leave from here.

Kolumna Żydów wchodzi na Umschlagplatz, dawny plac przeładunkowy przy ulicy Stawki, połączony bocznicą z Dworcem Gdańskim. Stąd pociągi kierowane są do Treblinki.

Inhabitants of the Ghetto are escorted to the Umschlagplatz by Jewish police under the supervision of German police. Around 10,000 Jews driven from their hiding places are shot on site and the first attempts at the organisation of armed resistance are made.

Mieszkańcy getta eskortowani są na Umschlagplatz przez policjantów żydowskich, nadzorowanych przez funkcjonariuszy policji niemieckiej. Około 10 tysięcy wyciąganych z kryjówek Żydów zostaje zastrzelonych na miejscu. Podejmowane są pierwsze próby zorganizowania zbrojnego oporu.

Jews at the Umschlagplatz await transport to Treblinka. During the Great Action, the yard and adjacent hospital serve as holding pens for transported Jews.

Żydzi na Umschlagplatzu przed transportem do Treblinki. Podczas Wielkiej Akcji plac i przyległy doń budynek szpitalny są punktem zbiorczym dla wywożonych Żydów.

The Umschlagplatz. This area of roughly 2,400 square metres at times held 10,000 Jews, without bread or water, for 10-20 hours.

Umschlagplatz. Na powierzchni około 2,4 tysiąca metrów kwadratowych przetrzymuje się nieraz 10 tysięcy Żydów bez chleba i wody przez kilkanaście godzin.

The loading of Jews into wagons at the Umschlagplatz. Between 2,000 and 13,500 people a day are taken to Treblinka. Less than two hours pass between the moment of a transport's arrival at the extermination camp and death in the gas chambers.

Ładowanie Żydów do wagonów na Umschlagplatzu. Dziennie wywozi się do Treblinki od 2 od 13,5 tysiąca ludzi. Od momentu przybycia transportu do ośrodka zagłady do chwili uśmiercenia w komorach gazowych mija nie więcej niż 2 godziny.

The Great Action completed, the search for, confiscation and valuation of formerly Jewish property becomes the task of the SS-Werteerfassung – a special German institution employing Jews.
The German officials are not beyond a bit of personal self-enrichment.

Wyszukiwaniem, konfiskowaniem i magazynowaniem mienia pożydowskiego po zakończeniu Wielkiej Akcji zajmuje się specjalna niemiecka instytucja zatrudniająca Żydów (SS-Werteerfassung).
Rabunku dokonują też Niemcy na własną rękę.

The streets of the Ghetto after the Great Action. Between 60 and 70,000 people are left in the district, half legally, others in hiding and at risk of being shot on sight.

Ulice getta po Wielkiej Akcji. W dzielnicy zamkniętej pozostaje 60 do 70 tysięcy osób. Połowa przebywa tu legalnie. Reszta ukrywa się, zagrożona śmiercią.

September 1942 - April 1943

The rump Ghetto

wrzesień 1942 - kwiecień 1943

Getto szczątkowe

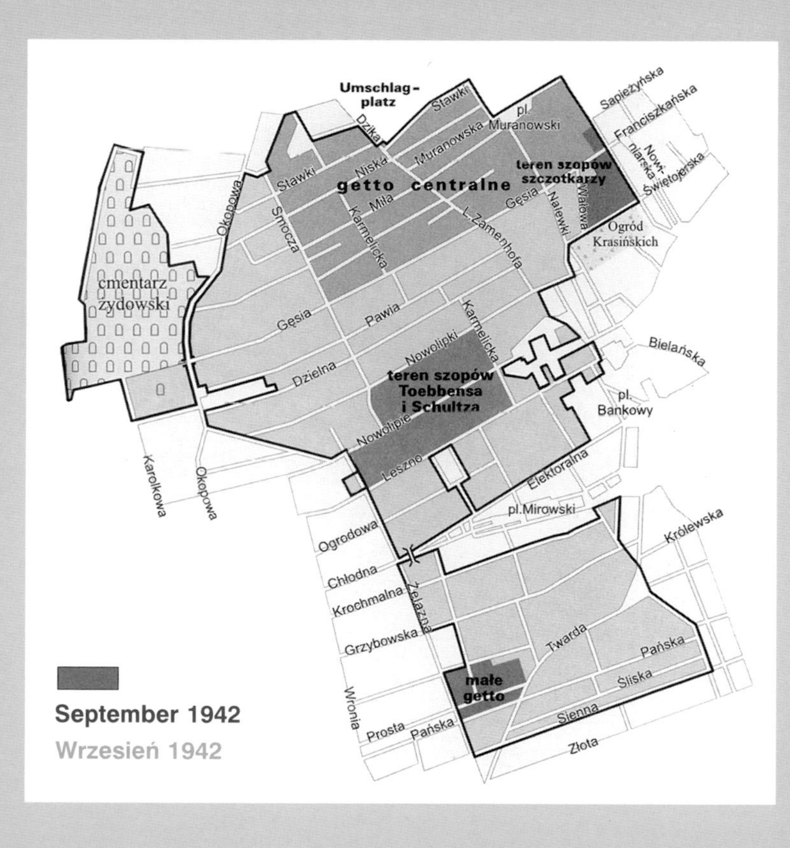

The rump Ghetto. The limits of the closed district are contracted to leave Jews in several enclaves of forced labour and a few hundred residential buildings for their workers.

Getto szczątkowe. Granice dzielnicy zamkniętej zostały zmniejszone, pozostałych w nim Żydów skoncentrowano w kilku enklawach obejmujących zakłady pracy przymusowej i kilkaset budynków mieszkalnych dla robotników.

The entrance to the Schultz forced labour "shop" at the corner of Nowolipie and Karmelicka Streets.
Life in the district is transformed as the Ghetto becomes a family labour camp. Jews are put to work in these "shops" – i.e. factories supplying the needs of the Nazis.

Brama wejściowa do szopu Schultza, ulica Nowolipie przy ulicy Karmelickiej.
Życie dzielnicy zamkniętej ulega przemianie – getto staje się rodzinnym obozem pracy.
Żydów zatrudnia się w tzw. szopach – zakładach produkcyjnych pracujących na potrzeby niemieckie.

Jews sew uniforms for the Wehrmacht in the Toebbens-Schultz "shops".
A shift lasts 12 hours and the sole remuneration comes in the form of a meal.

Żydzi szyją mundury dla Wehrmachtu w szopach Toebbensa-Schultza.
Praca trwa 12 godzin, jedynym wynagrodzeniem jest posiłek.

A laundry in the yard of “a shop”. Jewish workers wash clothing that those deported from the Ghetto have left behind.

Pralnia na podwórzu szopu. Robotnicy żydowscy uzdatniają odzież pozostałą po wywiezionych z getta.

Dispatches of goods from the Schultz “shop”. In late 1942 and early 1943,
one of these “shops” could produce over 60% of the winter clothing required on the Eastern Front.

Wysyłka towarów z szopu Schultza (jeden z szopów produkuje na przełomie 1942 i 1943 roku
ponad 60% odzieży zimowej dla frontu wschodniego).

Nowolipie St. during working hours. At this time of the day, nothing more than the occasional horse and cart, goods truck or German motorized patrol is to be seen on the Ghetto streets. Workers are not permitted to leave their forced labour units.

Ulica Nowolipie w godzinach pracy. O tej porze na ulicach getta może się pokazać jedynie wóz konny i ciężarówka z towarem lub zmotoryzowany patrol niemiecki. Robotnikom nie wolno opuszczać szopów.

4 Biuletyn Informacyjny

Żydzi stawiają opór. Echa strzałów i detonacyj, jakie rozległy się w połowie stycznia w ghetcie warszawskim, znalazły oddźwięk w całej Polsce. Społeczeństwo polskie przyjęło z uznaniem ten dowód zdecydowania i męskiej woli oporu. Niemcy nie ukrywają zdziwienia i nie dają jeszcze wiary. Tymczasem z innych stron Polski, wraz ze smutnymi wieściami o okrucieństwach stosowanych przez okupanta w stosunku do likwidowanej ludności żydowskiej, napływają wiadomości o częstych objawach stawiania oporu.

W ghetcie stołecznym przystąpiono do likwidacji t. zw. Szopów, t. j. warsztatów pracy, nawołując robotników do zgłaszania się ochotniczego na roboty w lubelskie. Akcja nie cieszy się powodzeniem, ochotników brak, wobec czego rozpoczęto wywozy przymusowe. Godną odpowiedzią robotników żydowskich był pierwszy duży akt sabotażu, przeprowadzony w ghetcie. W nocy z 13 na 19 b.m. spłonął doszczętnie skład mebli wyprodukowanych w ghetcie i gotowych do wysyłki do Rzeszy, wartości kilku milionów zł.

Wszystkie, przytoczone powyżej wypadki dowodzą, że w społeczeństwie żydowskim coś się przełamało, wyzwoliła się męska wola oporu, wola walki ze zbrodniczym Niemcem.

Kierownictwo Walki Cywilnej

An article from the "Information Bulletin" of March 14, 1943, details acts of sabotage and armed self-defence within the Ghetto during January 1943, in response to renewed "resettlement" action.

Artykuł z „Biuletynu Informacyjnego" z 14 marca 1943 roku na temat aktów sabotażu i zbrojnej samoobrony w getcie podjętej w styczniu 1943 roku w odpowiedzi na wznowienie akcji wysiedleńczej.

April 19, 1943 - May 1943

The Uprising

19 kwiecień 1943 - maj 1943

Powstanie

1. 6.00-6.30: First German attack; Germans withdraw.

6.00-6.30: Pierwszy niemiecki atak; Niemcy wycofują się.

2. 8.00: Second German attack; Germans withdraw.

8.00: Drugi niemiecki atak; Niemcy wycofują się.

3. 10.00: German begin shooting several hundred Jews in courtyard of Judenrat.

10.00: Niemcy rozstrzeliwują kilkuset Żydów na dziedzińcu Judenratu.

4. Germans attack Berson-Bauman Hospital at Umschlagplatz.

Niemcy likwidują szpital Bersonów-Baumanów przy Umschlagplatz.

5. 12.00-20.30: Subsequent German attacks.

12.00-20.30: Kolejne ataki Niemców.

6. Continuous fighting in Muranowska Square.

Walki przy placu Muranowskim.

7. 17.30: Resistance ambushes German column.

17.30: Powstańcy atakują z zasadzki kolumnę wojsk niemieckich.

April 19, 1943

19 kwietnia 1943

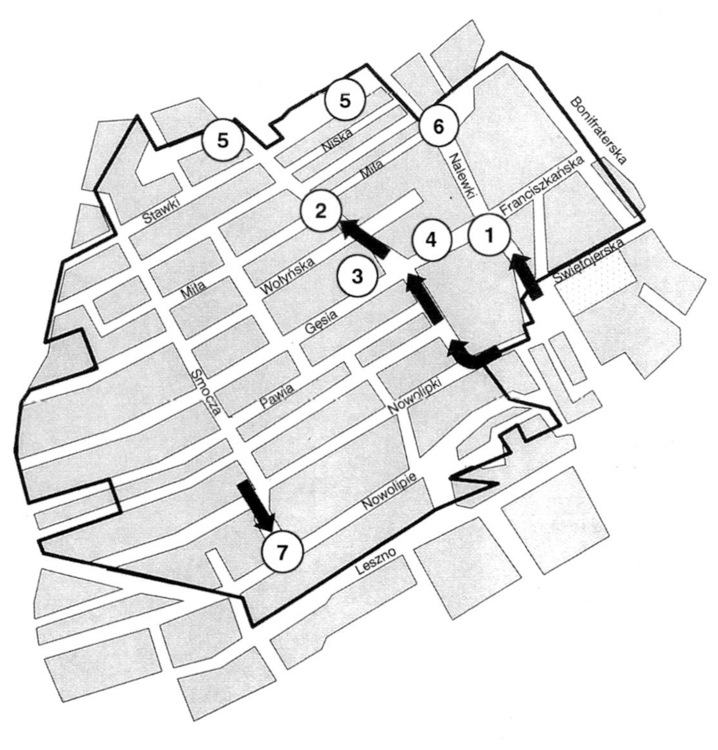

April 19, 1943. The first day of the Ghetto Uprising. Several hundred lightly armed Jewish fighters go into action against German forces equipped with machine guns, artillery and tanks.

19 kwietnia 1943. Pierwszy dzień powstania w getcie warszawskim. Kilkuset słabo uzbrojonych powstańców żydowskich występuje przeciwko Niemcom wyposażonym w broń maszynową, artylerię i czołgi.

Members of the Askarisi auxiliary units formed from collaborating Lithuanians, Latvians and Ukrainians assist in the suppression of the Uprising. In the centre stands the commander of the German forces, General Jürgen Stroop.

Członkowie pomocniczych oddziałów sformowanych z kolaborujących Litwinów, Łotyszy i Ukraińców (tzw. Askarisi) biorący udział w akcji tłumienia powstania. W centrum dowodzący siłami niemieckimi generał Jürgen Stroop.

Units of the Waffen SS, security police and Wehrmacht during their battle with the Jewish rebels.
Jednostki Waffen SS, policji bezpieczeństwa i Wehrmachtu w czasie walk z żydowskimi powstańcami.

Inhabitants of Warsaw look on as the Ghetto is razed to the ground by the Nazis at the end of April 1943.
The fight by the Jews is described in several hundred articles in over a dozen different
Polish underground newspapers.

Mieszkańcy Warszawy patrzą na getto podpalone przez Niemców w końcu kwietnia 1943 roku.
Na temat walk Żydów ukazuje się kilkaset artykułów w kilkudziesięciu polskich gazetach konspiracyjnych.

A Polish fireman watches the Ghetto (Sochaczewska St. towards Smocza St.) go up in flames.
The Warsaw Fire Brigade prevents the fire's spread to other districts,
while Polish policemen form a cordon around the Ghetto walls.

Polski strażak obserwuje płonące getto (ulica Sochaczewska w kierunku Smoczej). Warszawska Straż Ogniowa pilnuje, by pożar nie rozprzestrzenił się na inne dzielnice. Policja Polska tworzy kordon wokół murów getta.

A fair at Krasiński Square – adjacent to the Ghetto – is visited by Varsovians in the first days of the Uprising.

Wesołe miasteczko na sąsiadującym z gettem placu Krasińskich odwiedzane jest przez warszawiaków w pierwszych dniach powstania.

The removal of Jewish labourers from “a shop” early in the Uprising.
The Nazis transfer them to labour camps in Poniatowa, Trawniki and Lublin.

Ewakuacja robotników żydowskich z szopu na początku powstania.
Niemcy wywożą ich do obozów pracy w Poniatowej, Trawnikach i Lublinie.

The April revolt sees Jews offer both passive and active resistance to their "resettlement" – they attack Germans or hide in bunkers. The Nazis wage war on them, burning down entire housing blocks.

W powstaniu kwietniowym Żydzi stawiają czynny i bierny opór przed wysiedleniem – atakują Niemców lub kryją się w bunkrach. Niemcy walczą z Żydami, podpalając całe bloki domów.

The exit from a bunker. Following the self-defence action of January 1943, many Jews in the Ghetto have prepared shelters for themselves in the form of underground bunkers that are well-equipped and carefully concealed.

Wyjście z bunkra mieszkalnego. Po samoobronie styczniowej wielu Żydów w getcie przygotowało sobie schronienia – dobrze wyposażone i starannie zamaskowane podziemne bunkry.

The defenders of a bunker are captured. The system of bunkers is an integral part of the Ghetto's defensive plan. Uncovering all these underground hiding places will take the Germans many weeks.

Wyciąganie ludzi z bunkra. System bunkrów jest integralną częścią planu obrony getta. Odnajdowanie podziemnych kryjówek zajmuje Niemcom wiele tygodni.

A group of Orthodox Jews being removed from a bunker.

Grupa ortodoksyjnych Żydów wyciągnięta z bunkra.

Captured Jews are led to the Umschlagplatz. (Photograph taken from St. Sophia's Hospital on Żelazna St.)
Złapani Żydzi prowadzeni są na Umschlagplatz. (Zdjęcie zrobione ze szpitala św. Zofii przy ulicy Żelaznej.)

The Nazis were surprised by the bravery with which young woman fought in the Uprising.

Niemcy byli zaskoczeni brawurową walką dziewczyn w powstaniu.

A disarmed group of Jewish fighters.

Grupa rozbrojonych powstańców.

A column of inmates of the Trawniki labour camp. The Jews held there, as well as at Poniatowa and Majdanek were shot en masse in the course of the Erntefest (Harvest Festival) operation of early November 1943.

Kolumna jeńców w obozie pracy w Trawnikach. Wszyscy żydowscy więźniowie Trawnik, Poniatowej i Majdanka zostaną rozstrzelani w masowych egzekucjach na początku listopada 1943 roku w ramach akcji Erntefest.

May 1943 - January 1945

Beyond the Wall

maj 1943 - styczeń 1945

Poza murem

Ż. K. N.

GŁOS Z OTCHŁANI

Warszawa, w lipcu 1944 r.

W drugą rocznicę wybuchu akcji „likwidacyjnej" getta warszawskiego idzie w świat głos ocalałych z krwawego potopu Żydów polskich. Bez precedensu w dziejach jest tragedia społeczeństwa żydowskiego. Bez precedensu w dziejach piśmiennictwa są nasze publikacje. Wydają je ludzie, nad którymi wisi bezustannie wyrok śmierci, którzy pracują w koszmarnykh warunkach podwójnej konspiracji. Wydają je te czynniki w społeczeństwie żydowskim, które podniosły sztandar walki o ludzką i narodową godność Żydów. Te koła, których hasłem było i jest: „Żyć z godnością i umrzeć z godnością"!

Idce ofiarnej samopomocy i zbrojnego oporu, które przyświecały nam przez wszystkie fazy martyrologii żydowskiej w Polsce, stanowią i teraz główny motor naszej pracy. Pod znakiem samopomocy i walki pełnimy naszą służbę społeczną, mimo prześladowań i ofiar, na krawędzi życia i śmierci.

Społeczeństwo żydowskie w Polsce zostało niemal doszczętnie wymordowane. Z trzech i pół miliona Żydów pozostało przy życiu nie więcej niż 200 tysięcy. Blisko 95 proc. ludności żydowskiej zginęło śmiercią męczeńską. Z pośród 200 tysięcy — we-

"Voice from the Depths" (Głos z otchłani) – one of several conspiratorial Jewish news-sheets published in occupied Warsaw in the years 1943-1944.

„Głos z otchłani" – jedna z kilku żydowskich gazet konspiracyjnych wydawanych w latach 1943-1944 w okupowanej Warszawie.

The ruins of the Great Synagogue on Tłomackie St. following its ceremonial destruction on May 16, 1943 to mark the end of Warsaw Jewry.

Ruiny Wielkiej Synagogi na Tłomackiem zburzonej przez Niemców 16 maja 1943 roku na znak zakończenia walk w getcie.

A hiding place behind a wardrobe for Jews hiding out after the Ghetto's destruction (post-war photograph).
Following the defeat of the April 1943 uprising, around 20,000 Jews hid throughout Warsaw.

Skrytka za szafą dla ukrywającego się w polskiej części miasta (zdjęcie powojenne).
Po powstaniu kwietniowym 1943 roku w Warszawie ukrywało się około 20 tysięcy Żydów.

Members of the Jewish underground operating in Warsaw in the years 1943-1944. Kazik Ratajzer, Stefan Siewierski, and – behind – Icchak Cukierman on Krakowskie Przedmieście Street in 1943.

Członkowie żydowskiego podziemia działającego w Warszawie w latach 1943-1944. Kazik Ratajzer, Stefan Siewierski i w głębi Icchak Cukierman na Krakowskim Przedmieściu latem 1943 roku.

Janek Bilak and Jakub Putermilch, soldiers of the Jewish Fighting Organization, engaged in partisan activity in the Wyszków woods following the April uprising.

Janek Bilak i Jakub Putermilch, żołnierze Żydowskiej Organizacji Bojowej w partyzantce w lasach wyszkowskich po powstaniu kwietniowym.

Nazwisko					A-B.
dr Bischofswerder		1500	zmarła		—
~~dr Bornsztajn dr.~~		1500			
Beyzak Mela [illegible]		1500	10.		10.
Blumental Halina		1000			
Beylinowa z córką	2 os	3000	20.		20.
Abrahamer, żona, córka	3 os	4500	30.		30
Berland Joanna	1 os	1500	10.		10.
Drowa Blay		1500	10.		10
dr Borudom z Łodzi		1500	10.		10
Bergson Stefania [illegible]		1500	10.		10+5
Berlinerblau Julia [illegible]		1000	10.		10
bos. Brokman częstochow.		1500	10..		10.
Balicka z córką [illegible]	2 os	2000	20.		20.
Blitowa z dzieckiem	2 os	2000	20.		
Bruner Stanisław z żoną	2 os		20..		20
Berg Jolanta [illegible]	1 os		10..		10
" Edmund "	1 os		10..		10
Allein Techn. dent. "	1 os		10..		10
Berland Zygmunt [illegible] Brwinów			10..		10
~~Bergrün Józefa z matką~~	2 os	Szantec			—
~~Berland Joanna~~			~~10~~		—
Briskerowa z synem	2 os		20..		20
Blay Alfred	1	Okęcie	10..		10.
Ajbenszutz Ewa z synem	2 os	Kielce	20..		20

Part of the financial report concerning the activity of "Żegota", the Council for Aid to Jews, a Polish-Jewish conspiratorial organisation sponsored by the Polish Government in Exile, extending assistance to thousands of Jews in hiding.

Fragment sprawozdania finansowego z działalności Rady Pomocy Żydom „Żegota", polsko-żydowskiej organizacji konspiracyjnej świadczącej pomoc wielu tysiącom ukrywających się Żydów.

Known as the Ringelblum or "Oneg Szabat " Archive, the Underground Archive of the Warsaw Ghetto brought together documentation relating to the lives of Polish Jews during the German occupation.
Some of the collections buried during the Great Action of 1942 were recovered from the ground in 1946.

Podziemne archiwum getta warszawskiego, tzw. Archiwum Ringelbluma, gromadziło wszelkie świadectwa okupacyjnego życia Żydów polskich. Część zbiorów zakopanych podczas Wielkiej Akcji 1942 wydobyto z ziemi w 1946 roku.

The Warsaw Ghetto in the first half of 1945.

Getto warszawskie w pierwszej połowie 1945 roku.

April 19, 1948. The ceremony unveiling the Monument to the Heroes of the Ghetto on the fifth anniversary of the start of the Ghetto Uprising.

19 kwietnia 1948 roku. Uroczystość odsłonięcia Pomnika Bohaterów Getta w piątą rocznicę wybuchu powstania w getcie warszawskim.

Cover photos
Nowolipie St. in the Warsaw Ghetto
A Warsaw's street, Summer 1943

Frontispiece
An armband from the collections of the ŻIH Museum

Photographs
Collections of the Jewish Historical Institute:
Property of the ŻIH – p. 17-19, 21, 24, 30, 33-35, 37-40, 43-46, 48-51, 55-61, 73, 75, 88, 89, 93, 95. Property of the State Archives of the Capital City Warsaw – p. 23, 36. Property of Jan Lissowski – p. 76. Property of Heinrich Jöst – front cover p. 20. Property of the Mechanical Documentation Archive – p. 25. Property of the Institute of National Remembrance – Central Commission for the Investigation of Crimes against the Polish Nation – p. 54, 72, 77-84. Property of the Archives of Documentary and Film Studio – p. 28, 31, 32, 41. Property of Ed. Heinrich – p. 64-68. Property of Paweł E. Weszpiński – map p. 15.

text and selection of photographs
Anka Grupińska
Jan Jagielski
Paweł Szapiro

layout
Aneta Stankiewicz

translation
James Richards

Publisher PARMA PRESS
05-270 Marki, ul. Piłsudskiego 189 b
+ 48 22/ 781 12 31, 781 16 48, 781 16 49

Printing and finishing
DRUK-INTRO SA

Zdjęcia na okładce
Ulica Nowolipie w getcie warszawskim
Ulica warszawska, lato 1943 roku

Wyklejka
Opaska ze zbiorów Muzeum ŻIH

Zdjęcia
Zbiory Żydowskiego Instytutu Historycznego:
Własność ŻIH – str. 17-19, 21, 24, 30, 33-35, 37-40, 43-46, 48-51, 55-61, 73, 75, 88, 89, 93, 95. Własność Archiwum Państwowego m. st. Warszawy – str. 23, 36. Własność Jan Lissowski – str 76. Własność Heinrich Jöst – pierwsza str. okładki, str 20. Własność Archiwum Dokumentacji Mechanicznej – str. 25. Własność Instytutu Pamięci Narodowej – Główna Komisja Ścigania Zbrodni przeciwko Narodowi Polskiemu – str. 54, 72, 77-84. Własność Archiwum Wytwórni Filmów Dokumentalnych – str. 28, 31, 32, 41. Własność Ed. Heinrich – str. 64-68. Własność Paweł E. Weszpiński – mapa str. 15.

tekst i wybór zdjęć
Anka Grupińska
Jan Jagielski
Paweł Szapiro

opracowanie graficzne
Aneta Stankiewicz

tłumaczenie
James Richards

Wydawnictwo PARMA PRESS
05-270 Marki, ul. Piłsudskiego 189 b
+ 48 22/ 781 12 31, 781 16 48, 781 16 49

Druk i oprawa
DRUK-INTRO SA

ISBN 83-85743-95-2

Marki 2005